GW00567501

Bernhard Crusell

Universal
Klarinetten
Edition

Konzert für Klarinette und Orchester op. 5

Ausgabe für Klarinette und Klavier
von Pamela Weston

Universal
Clarinet
Edition

Concerto for Clarinet and Orchestra Op. 5

Edition for clarinet and piano
by Pamela Weston

www.**universal**edition.com

vienna · london · new york

UE 19084

ISMN 979-0-008-01120-7
UPC 8-03452-01391-4
ISBN 978-3-7024-1665-2

Vorwort

Bernhard Henrik Crusell (1775 - 1838) war einer der großen Klarinettenvirtuosen des beginnenden neunzehnten Jahrhunderts. Er wurde in Finnland geboren, schloß sich aber schon in frühen Jahren einer schwedischen Militärkapelle an, mit der er nach Stockholm ging. Dort wurde er 1801 erster Klarinettist im schwedischen Hoforchester. Seine Kompositionen dienten nicht nur als Mittel zum Zweck für seine eigenen Auftritte. Sie sind vielmehr von so großem künstlerischen Wert, daß sie nach heutiger Auffassung zum besten zählen, was zu jener Zeit geschrieben wurde. Seine drei Klarinettenkonzerte wurden bei Peters in Leipzig veröffentlicht und etablierten sich sofort als Verkaufsschlager.

Das 1818 bei Peters erschienene Konzert op. 5 ist betitelt: *Grand Concerto ... très-humblement dédié a Sa Majesté Alexandre I, Empereur de toutes les Russies, Roi de Pologne etc. etc. etc. par Bernard Crusell, Premier Musicien de la Chambre de sa S.M. le Roi de Suède et de Norvège, Membre de l'Academie Royale de Musique de Stockholm.*
Crusell war bereits 1801 am russischen Hof zu St. Petersburg aufgetreten. Die 1817 bewilligte Widmung an eine so hoch-

gestellte Persönlichkeit ist zweifellos der Grund für das Attribut „Grand", obwohl dieses Konzert weder formal noch kompositorisch als „größer" als die anderen bezeichnet werden kann.

Die Besetzung ist dieselbe wie in den Konzerten op. 1 und op. 11: eine Flöte, je zwei Oboen, Fagotte, Hörner und Trompeten, sowie Pauken und Streicher. Die Holzbläser übernehmen oft selbständige Stimmen; im zweiten Satz, der nur von den Streichern begleitet wird, ist auch dem Violoncello eine obligate Rolle zugewiesen. Kadenzen in den ersten beiden Sätzen erscheinen nicht, wie sonst üblich, auf dem Quartsextakkord der Tonika, sondern auf der Dominante.

Verzierungen wurden ausgeschrieben, Zusätze des Herausgebers erscheinen in Klammern. Unklarheiten im dritten Satz, wo in den Takten 260-262 die Takte 229-231 wiederholt werden, dürften auf Fehler des Kopisten zurückzuführen sein; diese zweite Stelle wurde der ersten angeglichen.

Pamela Weston

Preface

Bernhard Henrik Crusell (1775 - 1838) was one of the greatest clarinet virtuosi performing at the beginning of the nineteenth century. Born in Finland, he early joined a Swedish military band and with them went to Stockholm, where in 1801 he became first clarinet in the Swedish court orchestra. His compositions were not mere vehicles for his own performances but of such merit that they are considered today amongst the best that were written at that time. When his three clarinet concertos were published by Peters of Leipzig they became at once bestsellers.

The title-page of the first edition by Peters in 1818 of the Concerto Op. 5 reads:
Grand Concerto ... très-humblement dédié a Sa Majesté Alexandre I, Empereur de toutes les Russies, Roi de Pologne etc. etc. etc. par Bernard Crusell, Premier Musicien de la Chambre de S.M. le Roi de Suède et de Norvège, Membre de l'Academie Royale de Musique de Stockholm.
Crusell had performed at the Russian Court in St. Petersburg as early as 1801. The dedication to such an exalted person,

permission for which was requested and granted in 1817, is doubtless the reason for the work's designation as "Grand", for musically and structurally it is no grander than the other concertos.

Scoring is the same as for Op. 1 and Op. 11: one flute, two each of oboes, bassoons, horns and trumpets, also timpani and strings. Flute, oboe and bassoon are frequently given obbligato parts in this concerto; and in the slow movement, which is accompanied by strings only, the cello is given an obbligato. Cadenza points appear in movements one and two which are not on the usual tonic second inversion chord but the dominant.

Ornaments have been clarified and editorial suggestions are given in parentheses. In the third movement, when the repeat of bars 229-231 comes at bars 260-262 there are discrepancies; as these seem to be copyist's errors the passage has been kept according to its first appearance.

P. W.

Préface

Bernhard Henrik Crusell (1775 - 1838) était un des grands clarinettistes au début du XIXe siècle. Né en Finlande, il joignit très jeune un orchestre militaire suédois, avec lequel il devait aller à Stockholm. En 1801 il devint premier clarinettiste dans l'orchestre de la cour suédoise. Ses compositions n'étaient pas uniquement écrites pour mettre en valeur son propre talent de virtuose. Elles ont une valeur artistique telle que notre époque les range parmi les meilleures réalisations de l'époque. Les trois concertos pour clarinette de Crusell, publiés chez Peters à Leipzig, sont devenus des succès de vente.

Le concerto op. 5, publié en 1818 chez Peters, s'intitule: *Grand Concerto ... très-humblement dédié à Sa Majesté Alexandre I, Empereur de toutes les Russies, Roi de Pologne etc. etc. etc. par Bernard Crusell, Premier Musicien de la Chambre de S.M. le Roi de Suède et de Norvège, Membre de l'Academie Royale de Musique de Stockholm.*
Dès 1801 Crusell avait joué à la cour russe de Saint-Petersbourg. Autorisée et acceptée en 1817, la dédicace à une personnalité si haut placée est sans aucun doute la raison pour laquelle le concerto s'appelle "Grand". Ni en termes formels ni du point de

vue compositionnel le concerto est plus "grand" que les deux autres.

L'instrumentation est la même que celle des concertos op. 1 et op. 11: une flûte, deux de chacun des instruments suivants: hautbois, bassons, cors et trompettes, aussi timbales et cordes. Les bois se voient souvent confier des voix indépendantes; au deuxième mouvement, acompagné par les seules cordes, le violoncelle est obligatoire. Aux premiers deux mouvements les cadences n'apparaissent pas, comme il était d'usage courant, sur l'accord de sixte et quarte mais sur la dominante.

Les ornements sont écrits en toutes notes, les ajouts de l'éditeur figurent entre parenthèses. Des imprécisions au troisième mouvement, où les mesures 229 - 231 sont répétées aux mesures 260 - 262, sont probablement le résultat des erreurs du copiste; le deuxième passage a été harmonisé avec le premier.

P. W.

KONZERT FÜR KLARINETTE UND ORCHESTER
OP. 5

Bernhard Crusell
(1775 - 1838)

I

Universal Edition UE 19 084

4

*) Empfohlene Ausführung: / *Suggested interpretation:* / Proposition d'exécution:

12

14

16

II

18

UE 19 084

III

Rondo
Allegretto [♩ = 88]

23

24

UE 19084

Durata: ca. 23'

Universal Klarinetten Edition

UE-Nr.

www.universaledition.com
vienna • london • new york